D1630129

Duits dienstmeisje

Simon Vestdijk

Duits dienstmeisje

FOR BOOKS

Simon Vestdijk: Duits dienstmeisje

Maartensdijk: B for Books b.v.
ISBN: 9789490043056

Druk: Giethoorn ten Brink, Meppel
Redactie: Margot Engelen
Foto: verzameling Mieke Vestdijk

Copyright: © 2009 Stichting A.K. Auteursrechten
Simon Vestdijk /
Uitgeverij B for Books b.v.
Tolakkerweg 157
3738 JL Maartensdijk
www.b4books.nl
www.schrijversportaal.nl

De Literaire Juweeltjes Reeks

'Ontlezing' – het onheilspellende o-woord waar heel boekenminnend Nederland overstuur van raakt. Om mensen en vooral jonge mensen op een prettige manier duidelijk te maken dat het lezen van literatuur heel aangenaam kan zijn en tegelijkertijd onze kijk op de wereld een beetje kan veranderen is een nieuwe reeks opgezet, de Literaire Juweeltjes Reeks.

Elke maand verschijnt een nieuw Literair Juweeltje, een goed toegankelijke tekst van een bekende schrijver in een mooi vormgegeven boekje. Achterin elk deeltje staan telkens kortingsbonnen waarmee voor minder geld meer werk van de schrijvers kan worden gekocht in de boekhandel.

Zo proberen we van niet-lezers lezers te maken, en van weinig-lezers hopelijk graag-lezers. Dat kan lukken dankzij de welwillende medewerking van de schrijvers, hun uitgevers, fotografen, de drukker, vormgever, en Bruna bv.

Zelden was mooi lezen zo goedkoop. Laat je niet ontlezen. Of, zoals men 50 jaar geleden adverteerde: 'Wacht niet tot gij een been gebroken hebt, om een reden tot lezen te hebben.'

Uitgeverij B for Books, Maartensdijk

Duits dienstmeisje

Op een warme augustusavond stroomde de halve stad leeg naar het badplaatsje dat vanuit mijn voorkamertje zichtbaar was. Een grandioos vuurwerk was aangekondigd en daar Else een uur later thuis mocht komen, moest ik mee. Ik weigerde onmiddellijk. Met het park ontvolkt, ieder bankje onbezet, zou ik misschien wel een uur achter elkaar kunnen wegzinken in wat voor mij eten en drinken en paren tegelijk was, het was een ongehoorde gelegenheid. Maar voor Else bestond alleen het vuurwerk. 'Dann geh ik allein!' zei ze zeer beslist en gooide haar hoofd achterover, 'du kannst machen was du willst. Ich gehe.' Tien minuten lang stonden we te marchanderen voor het parkhek, waar ook de tram stopte die de vuurwerkmensen vervoerde. Tevergeefs hield ik haar voor hoe zalig het nu in het park zou zijn; het maakte niet de minste indruk. Geduldig, zonder enig gevlei of nukkig verwijt, zonder een poging zelfs om me over te halen, stond ze te wachten tot ze me eronder gekregen had, haar lippen dogmatisch over elkaar heen gevouwen – voor het eerst geen hogere lekkernij meer, maar werktuigen van een wil! – het voorhoofd als gebeeldhouwd boven de laatdunkende, zwaar overhuifde ogen. Toen we eindelijk in de tram zaten, was er niets aan haar te bespeuren van een triomf, die daardoor des te onherroepelijker werd... 'Wir sind doch den ganzen Abend zusammen!' troostte ze, waarop ik bij mijzelf iets van onbehaaglijkheid begon te bespeuren, iets van verslaafdheid aan een paar lippen, maar een lichte afkeer van het hele meisje. Twee bakvissen in zonnekleren tegenover ons namen haar verbaasd en kritisch op; hun blikken gleden van de bengelende benen naar de brede schouders, het slecht zittende kleedje, het kruis, en dan naar het ordinaire rood van de wangen, dat ook ik voor het eerst sinds weken weer van nabij te zien kreeg in het scherpe licht. Bij wijze van revanche bekritiseerde ik nu de bakvissen, waar ook het een en ander op aan te merken viel, en zij lachte dan wel mee en beloonde me met haar grappig opgetrokken wenkbrauwen en een bruuske overgang van lodderoog naar dol, stekend blauw, maar erbij met haar gedachten was ze toch niet helemaal; alleen het vuurwerk vervulde haar; die meisjes scheen ze zo best te vinden, niet meer of minder dan zij, geen rivaaltjes.

Voordat het vuurwerk begon, zwierven we het donkere strand op, na een kort incident met de bewaker van een carré badkoetsjes, waar Else Böhler voor ik het kon verhinderen met een sprongetje in verdwenen was. Toen ik haar volgde kwam ze juist weer uit een van de koetsjes te voorschijn, waarvoor de man als een dommelige stier stond te wachten. Ik gaf hem een dubbeltje, Else Böhler een arm, en zei tegen beiden: 'Es war nicht so schlimm.' – 'Wunderbar war es da drinnen!' – 'Dunkel,' zei ik. – 'Nächsten Sommer schwimme ich alle Tage!' – Verlangend naar haar mond, dreef ik haar naar het water toe. 'Schau, es ist Ebbe, Else,' – 'Nein, Flut!' hield ze vol, moedwillig en al uitgelatener. 'Aber nein, Ebbe!' – 'Ach du... *Flut*!!' – Ik voelde mij knorrig worden, ik verlangde naar een substantieel gesprek met Peter... 'Sei doch nicht so dumm...' – 'Dumme Menschen muss es auch geben,' ontwapende ze me onmiddellijk, zonder enig spoor van gekrenktheid te tonen. In een soort van weeë wanhoop citeerde ik, nadat ik haar onder veel verweer mijn zoen opgedrongen had, die regels van Novalis. 'Kennst du die schönen Verse, Else,' – ze had toch weleens van Goethe gelezen, ze beweerde zelfs Hollands te kunnen lezen – '*O, sauge, Geliebter, gewaltig mich an?*' – Ongrijpbaar, koddig als een veulen sprong Else Böhler voor mijn voeten weg, draaide zich om, tikte haastig langs haar voorhoofd: '*Du* bist verrückt...' – en barstte toen in opgetogen kreetjes uit over een vliegmachine, die, ronkend boven onze hoofden, als voorproef van het vuurwerk met verlichte vleugelvlakken laag over het strand cirkelde. Else Böhler deed alsof ze nooit eerder een vliegmachine had gezien; blijkbaar had ze zich voorgenomen verrukt te zijn om het onbeduidendste. Zelfs hield ze stokstijf vol, dat op de vleugels *Köln* te lezen stond, het was een reclame voor een fabriek in Keulen, die zij misschien wel kende. Door mijn bijziendheid was ik niet in staat haar tegen te spreken; trouwens; maar al te goed zag ik de nutteloosheid daarvan in, en zelfs de onwenselijkheid, want wie weet wat ze nog van zichzelf zou openbaren in haar brooddronken stemming, als ik haar haar gang liet gaan... 'Vielleicht von deiner Mutter,' zei ik ernstig, iedere spot onderdrukkend. -'Das glaub ich nich...' – 'Sie hat doch ein ganz grosses Geschäft?' – 'Das is wahr...' Op dit ogenblik steeg vlak voor ons de eerste vuurpijl op, schuin sissend over de zee. Else Böhler werd nu ontoegankelijk voor al mijn opmerkingen; ze zong bijna: 'O, wie herrlich! O, wie schön! Wunderbar! Donnerwetter, das war ein schöner! Das ist wie im Kriege! Seh mal hin! O, schön, schön, schöööön...' – Haar stem galmde, kwetterde, kreunde. Kalme Hollandse meisjes in de buurt keken om naar waar wij stonden. Even vreesde ik dat ze luidruchtig naar voren zou rennen om zich in de vuurgloed te storten van wentelende en sproeiende zonnen, temidden waarvan de lichtende omtrek van een mannetje in een boot zichtbaar werd, dat houterige roeibewegingen volvoerde, maar toen was het gelukkig juist afgelopen en hand in hand, arm in arm, liepen we alweer tussen de mensenmenigte.

Daar ik met teruggaan wilde wachten tot de drukte wat geluwd was, loodste ik haar naar een klein halfvol café, waar een lauwe wind het zand dun over de tafeltjes woei. Haar enthousiasme verminderde niet; druk babbelend sprong ze van het ene onderwerp op het andere; haar ogen, glinsterend van een tegelijk starre en grillige vrolijkheid, rolden erbij uit. Nauwlettend observeerde ik haar. – 'O, wie schön ist die Welt! Ich möchte reich sein, du auch nicht? Wenn man reich ist, kann man überall hin. O, guck mal hin: der Herr dort!' Een jeugdig persoon in smoking, op afstand herkenbaar als een kelner die een vrije avond had of zich was gaan vertreden, liep voorbij, in het gezelschap van een paar fladderende meisjes. 'Das ist so einer wie von einem Bild!' – 'Ein Bild...' – 'Ja, aus der Zeitung!' – Na een snelle blik over mijn eigen afgedragen kleding zei ik haar dat de elegante man mij het meest aan een etalagepop deed denken, maar het raakte haar niet, ze was alweer verder. Het leek me ineens ondenkbaar dat haar moeder eigenares van een fotozaak in Keulen was; in dit half artistieke beroep ontmoette men toch doorgaans een iets hoger beschavingspeil... 'O, ich möchte in Köln sein! Wenn ich reich wäre, möchte ich hier in einen grossen Hotel wohnen! Ich möchte alles kennen lernen, alles versuchen, du ach nicht? Hast du schon einmal Opium genommen?' – '*Was!?*' – 'Opium...' – Nu schrok ze toch even van mijn gezichtsuitdrukking. Schichtig en vrolijk keek ze mij aan, borg toen haar ogen weer op, en begon, als een zoet, nauwelijks betrapt kind, met haar rode duimen te draaien, wat mij nog meer irriteerde dan haar ongelooflijke vraag. Met een vrouw die met haar duimen draaide, zou ik in geen geval kunnen trouwen... 'Wie kommst du darauf?' vorste ik nijdig. Met veel moeite kreeg ik van haar los dat de vriendin met de auto's vroeger eens in Keulen opium had gekregen van een apotheker; de vriendin vond het herrlich; zelf wou ze het ook proberen, riesig gern. Ik maakte haar duidelijk, dat als ze ooit een druppel of een korrel of een snipper opium gebruikte, alles tussen ons uit zou zijn. Daar ik uit ervaring wist dat ze daar niet tegen kon, bleef ik boos voor me uitkijken; hoe onbeïnvloedbaar en eigenzinnig ook, wanneer ik begon te bouderen, vroeg ze gewoonlijk al na een minuut op een beteuterd toontje: 'Na, warum bist du so still?' en deed dan al haar best om het weer goed te maken. Nu evenwel gebeurde er iets anders. Else Böhler stond op, zei onverstoorbaar: 'Ich muss hinaus,' en begaf zich, vrijpostig molenwiekend, in de richting van de toiletten. 'Hinaus müssen' was dan zeker een uitdrukking als waarbij in Holland de kinderen hun vinger opsteken op school. Maar was Else Böhler wel veel anders dan een kind, open voor alle verderfelijke invloeden die haar grappige avonturen beloofden?... Waarschijnlijk was Hitler toch wel nodig geweest voor dat tuig daar, dacht ik bij mezelf... Plotseling kreeg in een inval. Naast mijn elleboog lag haar tasje, waarin ze haar portretten bewaarde. Behalve dat van haar moeder, de joviale, gezette dame, waren er van haarzelf drie, onder andere een geflatteerd kopje, dat we 'Kinostern' hadden gedoopt, met van boven invallend licht, waardoor de neergeslagen, bolle ogen wit uitgespaard leken; verder een portret van de Führer, door haar, met een zekere ironie, die mij toen wel bevallen was, als 'unser Adolf' betiteld, en ten slotte een ansicht met een stadsgezicht. De eerste keer dat we de foto's bekeken, had zij die ansicht uit mijn hand genomen en weer opgeborgen met haar gewone stopwoord: 'Nich...tun.' – In de veronderstelling dat de afzendster weleens de vriendin kon zijn, had ik toen verder niet aangedrongen; als Else Böhler merkte dat ik nieuwsgierig was, werd ze gewoonlijk totaal onhandelbaar.

Ik draaide mij zo dat ik de toiletten in het oog kon houden en opende het tasje. Onder een verfrommeld zakdoekje, een kammetje, een bidprentje met blauw en goud, stuitte ik tussen de andere foto's op de ansicht, die de Siegesallee in Berlijn vertoonde; ik draaide hem om en las naast het adres: *Rudolf Steinmann, mit seiner Liebe*, in een krullig, karakterloos handschrift. Even zonk ik weg in een misselijke duizeling, die ik snel beheerste. De deur van de toiletten flitste open; ik duwde al het papier weer terug en sloot het tasje, waarmee ik begon te spelen om geen achterdocht te wekken. Een woedend plezier was mijn ontreddering komen vervangen; dit was beter dan een vriendin met opium, beter om Else te kwellen, me te wreken over een bedorven avond! Jaloezie werd onmogelijk door deze wrede voorpret. Het was geen slag voor me; ik voelde me niet verrast; zoiets had ik altijd wel verwacht immers... Duitse snol, Duitse snol... Else Böhler molenwiekte nader en ging zedig op haar witte stoeltje zitten, schijnbaar zonder acht te slaan op mijn spelende hand. Als bij een smartelijk afscheid zocht ik nog even al haar gezichten af, de mond van het lachje, het voorhoofd en de eigenwijze wenkbrauwen van het Engelse kostschoolmeisje, de zinnelijke Germania, de straatmeidenogen, de zware madonna-oogleden, de boerenwangen met de rode aartjes, alles tezamen in één mensengezicht... Toen stak ik van wal.

'Deutsch ist doch eine fabelhafte Sprache,' verkondigde ik, met haar tasje op mijn schoot, mijn

wijsvinger aan de sluiting als aan de trekker van een
revolver, 'besonders die Eigennamen, die Namen
von Leuten – fabelhaft! Johan ist nichts dagegen.
Da hat man die charaktervollen kurzen, knappen
Läute: Kurt, Heinz, Willi, Willi Fritsch zum Bei-
spiel, schön, männlich und ekelerregend,' – ik wist
dat Else met deze held dweepte, zo ook met de volgende – 'da gibt es sogar *Hannns*, – wenn auch nur
Hans Albers, – und Albert, – Albert, Albert... wie
heisst *der* auch wieder, du sollst es wissen, Else, ich
meine den dicken Kerl, ich glaube er ist tot, aber er
war berühmt; so ein Kraftmensch mit ungebeugtem
Rücken, weisst du,... Albert...? – ach, aber so *heisst*
er ja auch: Albert Steinrück, Stein...? ja, Steinrück,
oder Steinmann, ich weiss es wirklich nicht mehr,
– aber er war kolossal! Weisst du nicht wie der Na-
me ist?' – 'Nein, ich weiss nich,' zei Else Böhler ach-
teloos, haar handpalmen tegen elkaar aandrukkend.
Op haar borst bewoog het kruis van gesneden ivoor
traag op en neer. Levendig vervolgde ik: 'Das ist
doch komisch mit Namen! Dass ich nicht einmal
weiss ob er Steinrück heisst oder Steinmann, allzu
dumm, und das Schlimmste ist, jetzt fange ich an
auch an den Taufnamen zu zweifeln: Albert, – aber
is könnte auch Rudolf sein, oder Emil, nein doch:
Rudolf. Albert oder Rudolf. Albert Steinrück, oder
Rudolf Steinmann...' – Ik hield even op om haar van

17

terzijde aan te kijken. Geen enkel teken van verwarring. Ze vermeed mijn ogen, maar dat deed ze altijd al, bewijs van preutsheid eerder dan van vein-
zerij; ook het uitspreken van mijn eigen voornaam
ging nooit zonder kleuren. Maar nu was de ontkno-
ping niet langer uit te stellen. Mijn stem klonk schor.
– 'Kennst du vielleicht einen Rudolf Steinmann? –
'Eindelijk, ze begreep... Ze pakte haar tas van mijn
schoot, en haalde haar zakdoek eruit, die ze om haar
vinger heen wond. De dramatische voorbereiding
had ik mij kunnen besparen, hoe dom was ze toch!
Uit domheid kon ze niet zondigen... Ik boog mij naar
haar toe, nu bijna reeds zonder belangstelling. 'Wer
ist Steinmann, Else?' – 'Nich...' – Zacht en toonloos
klonk het, maar haar gezicht was onveranderd geble-
ven. – 'Kennst du ihn? Wer ist er?' – Geen antwoord.
Haar koppige geslotenheid, spelenderwijs gehand-
haafd, kende ik voldoende om me erbij neer te leggen dat ik met Steinmann niet verder zou komen.
Ik stond op, riep de kelner, en na betaald te hebben
ging ik met haar naar buiten. Ongearmd liepen we
door de smalle zeestraat, met de schopjes en vlag-
getjes aan weerskanten. Afkoelend, voelde ik mijn
verlangen naar een tragische slotscène geheel weg-
vloeien. Met een vrij geringe moeite beklom ik mijn
vaderlijk ironisch houding weer. Rudolf Steinmann
kon een oom zijn of een medeminnaar – in geen ge-

val mocht ik mij verder blootgeven. Bij voorbaat afstand doen van Else Böhler, onverschilligheid veinzen, haar korte benen, haar draaiende duimen de revue laten passeren: dat was mijn taak! Toen ik, opzijturend, haar smalend hanglipje gewaarwerd, dat brede druppeltje aan haar grote zinnelijke mond, was ik haar bijna dankbaar: net zoveel afkeer als ik nú voelde had ik nodig om mijn jaloezie te kunnen dragen. Maar dat dat de mond van het lachje was geweest, maakte alles weer schrijnend. Ik wilde niet weten, of er een ander was, ik wilde niets over Steinmann horen... Alleen met haar lippen had ik te maken. Haar lichaam, haar benen, haar ziel, ik kon ze pas vergeten in het bezit van dat elastische opgevulde slijmvlies, dat ik nu, op een snel voorgestelde en door haar goedgekeurde wandeling door de duinen naar huis, weer benaderen ging. Dan bestond er geen gevaarlijk geheim meer, dán alleen was de medemens geen raadsel... Al koortsachtiger, na de eerste bocht van het duinpad, zocht ik mijn heil, te vermoeid voor enig overleg, te roekeloos ook om een reeds zo lang onderdrukte zinnelijkheid te bedwingen, waarin alle tegenstrijdigheden op te lossen zouden zijn. Maar terwijl ik haar benen en heupen van onderop met de hand tegen mij aanvlijde, kwam er nog een soort antwoord van haar, nauw verstaanbaar in het krekelachtige fluiten van de nachtwind door de helm: 'Das war

19

der Herr von dem ich dir hätte erzählen...' – Mijn andere hand lag op haar mond. Toen mijn lippen. Geen 'Herr', in godsnaam... Dwars door mijn beginnende bedwelming heen sprak ze verder: 'Der Herr der meine Ausbildung bezahlen will...' – Ausbildung? Als Duits dienstmeisje, opiumeetster, stadshoer?... 'Ausbildung, für was denn? – Bijna onhoorbaar: 'Meine Stimme doch...' – Meteen lagen haar armen wanhopig vast om mijn hals, alsof ze haar diepste levensgeheim had prijsgegeven. Ik herinnerde me het galmen, het zachte, kreunende geluidje van vroeger, maar alles was tenslotte mogelijk met een stem. Ik was ineens diep gelukkig, ik had kunnen huilen als een kind. – 'Hast du denn eine schöne Stimme? – 'Ja...' – 'Hat man das gesagt?' – 'Ja...' – 'Ist Steinmann kein junger Mann, ich meine ist er ein Bekannter von deiner Mutter?' – 'Ja...' – ' Liebst du mich?' – 'Ja...' – Pas om twaalf uur kwamen we thuis.

De volgende morgen werd ik sterk ontnuchterd wakker, vermoeid en oververzadigd, met spierpijn in mijn schouders van de omhelzingen. Uit gewoonte liep ik half gekleed naar mijn achterkamertje, het platje op, en zag dadelijk, dat er geen matjes hingen. Hoewel dat wel vaker voorkwam, boog ik mij toch even om het Steketee-muurtje heen om te zien of er niemand in het tuintje was. Op het hek van Erkelens, vlak bij het muurtje dat er de voorzetting van vormde, lagen drie grote, knobbelige kiezelstenen, zwart en plomp in het witte tegenlicht van de ochtendzon. Zij waren betekenisvol zoals drie gedachtepuntjes achter een volzin betekenisvol kunnen zijn. De volzin zelf was moeilijk te lezen. Wat had dit te beduiden? Wat was er gebeurd? De vorige avond had er maar één gelegen, en die moest na twaalven binnengehaald zijn...

Met een weids gebaar wees mijn moeder, die al aan de ontbijttafel zat, naar een paar drukwerkjes naast mijn bord. Onder die drukwerkjes vond ik een smal, voddig envelopje met 'Herr Johann Roodenhuys, Walweg' erop; het briefje was nog kleiner en smaller, licht verfrommeld, en haastig beschreven met schoolse Duitse letters. *'Ich bin fort. Ich warte auf dich. Treffstelle: du weisst wo.'* – Ik had enige moeite mijn brood door te slikken. Dit was het einde; hier moest ik doorheen... De Duitse woorden riepen de naam 'Steinmann' weer bij me op: diepe afkeer, ongeloof en walging. Maar dat daar vóór me, dat briefje, dat betekende de verlossing... Zo opgelucht voelde ik me opeens, dat ik mijn moeder uitvoeriger dan mijn gewoonte was te woord stond, toen ze met commentaren begon. Else was weg, ging weg – maar Else was een Duitse snol, al had mijn moeder dat het eerst gezien, en het was ochtend, nuchtere ochtend, geen avond met kansen op sentimenteel gesmacht en angst voor een eenzame nacht die erop volgt...

'Nogal sterk om dat briefje in de bus te doen.'

'Och kom, 't is toch een behoorlijk briefje. En vader is al de deur uit!'

'Wat je behoorlijk noemt! Dat is toch geen correct Duits: Herr? Dat moet *Herrn* zijn...'

'Zeker, volgens het boekje: Dativ. Maar in Duitsland doen veel mensen, vooral de intellectuelen, aan nieuwe spelling...'

Ik knikte haar opgeruimd toe, veegde mijn mond af en verliet de kamer. Buiten in de zon was alles in trage zomerse rust, en toch alsof er een nieuw leven kon beginnen met deze bijna definitief droge hitte: een leven zonder Else Böhler. Eerst toen ik haar op de hoek van de Orionstraat in haar blauw werkkleedje heen en weer zag drentelen, haar ene been wankel en besluiteloos scheef voor het andere, begreep ik dat dat nieuwe leven moeilijker zou zijn dan ik vermoedde. Reeds haar onberekenbaarheid gaf mij daarvan een voorproef: zij had geschreven bij de telefoon te zullen wachten, en was nu al hier.

Else Böhler begroette mij koel en bleek, met een vluchtige zoen. Alles wat haar gezicht voor mij aan weerzinwekkends bezat vertoonde zich prompt en geruststellend in het zomerlicht. Terwijl we werktuigelijk in de richting van het bos liepen, voorbij de telefoon waar ik zo vaak op haar gewacht had, deed ze mij het verhaal. Juffrouw Erkelens had haar onaangenaam bejegend, omdat ze een halfuur te laat was thuisgekomen, en deze ochtend nog eens, omdat ze vergeten had de schoenen van de dwerg te poetsen. Daarop had ze onmiddellijk van de gelegenheid gebruik gemaakt om haar dienst op te zeggen. De dames Erkelens waren begonnen met dreigementen, hadden zelfs de deur afgesloten, vijf minuten later waren ze op hun knieën gevallen, de dwerg in tranen; de aapmens was haar een eind in de gang achterna geschoven, op haar knieën. Nadat ze naar haar kamertje was gegaan om de stenen neer te leggen en het briefje te schrijven had zij het huis verlaten, zonder haar bagage. Deze dag nog wilde ze naar Keulen terug. Haar moeder had al zo lang daarover geschreven, ook dat ze 'noch viel zu jung um zu verkehren was'; er was nu een mogelijkheid gevonden om haar voor zang te laten opleiden ('Steinmann' werd niet genoemd); en tussen ons kon het ook niet verder gaan zo, enzovoort, enzovoort.

In een superieur welbehagen liet ik alles langs me heen trekken. Ik gaf me niet eens de moeite wat meer te weten te komen over die mysterieuze opleiding voor zang. Het einde, waar ik zo lang naar verlangd had – al had ik soms gemeend dat dit verlangen enkel de rol vervulde van een listige voorbereiding

23

op het zozeer gevreesde – het was er nu, en het werd me zo gemakkelijk gemaakt als ik me maar wensen kon. Achter een kopje koffie in het bosrestaurant kon er alleen nog sprake zijn van een vrij zinneloos uitstel van ons afscheid. Else had haar gezonde blos weer terug, haar bolle ogen vertoonden weinig uitdrukking, alleen het smalende onderlipje had iets droevigs, een droevig ironisch lachje waar ik maar zo min mogelijk op lette. We zeiden bijna niets meer. Hoogstens werd mijn onverschilligheid aangetast door het telkens wederkerend besef dat ik weerloos geweest zou zijn tegen haar gezicht, wanneer dit afscheid zich 's avonds had afgespeeld. Na enige ogenblikken ging ik haar met mijn spot te lijf, eerst uit verveling, toen uit korzeligheid omdat ik niets anders bereikte dan een verscherping van dat droevige lachje. Krenkend kaatste ik met Steinmann, en 'verkehren', en Kurt en Heinz, die 't zaakje wel van mij zouden overnemen, en bood luchthartig aan een andere dienst voor haar te zoeken, als ze soms niet naar d'r armoedige Heimat terugwilde. Nergens reageerde ze op. Terwijl we weer door de Sterrenbuurt terugwandelden, besluiteloos en zwijgzaam, – ze moest nu langzamerhand naar Erkelens toe om haar boeltje te halen waar ze erg tegen opzag, – herinnerde ik me hoe ze de vorige avond mijn omhelzingen beantwoord had, hoe ze altijd had gezegd, dat ik haar eerste liefde

24

was. Mijn wrevel steeg. Werkelijk, ze kon wat meer spijt laten blijken, al was het maar om de leegte te vullen van een verloren uur. Alle tragiek ontbrak in dit vervelde slenteren. Dacht ze werkelijk niets op dit moment, voelde ze niets? Waarom moest ze zo irriterend gezond en roze zijn? Mijn duiveltje dook weer op, met een dikke tong van de warmte. 'Imbeciel!' schold het duiveltje, 'god, wat een imbeciel...' Opgelucht stemde ik ermee in. Om haar op gang te helpen hervatte ik mijn spot; toen ik mijn mond opendeed, merkte ik, dat mijn ergernis mij reeds de baas was. Ik verweet haar haar ongevoeligheid, de wijze waarop ze mij behandelde, niemand anders zou zoiets geduld hebben! 'Sei nur vorsichtig!' grauwde ik, en meteen schoten haar bolle bikkels onbeschaamd glinsterend over mij heen, een beetje verachtelijk, luchthartig spottend, en volmaakt angstloos. 'Was würdest du denn machen?' – 'Ich? Nichts,' zei ik, in een laatste poging objectief te blijven, maar bijna stikkend van vertwijfelde woede omdat ik geen vat op haar kreeg, 'ich meine: sei nur vorsichtig in einem folgenden Fall, ein anderer würde das nicht ertragen...' 'Ich fürchte mich vor niemand!' – 'Ach, Quatsch,' – het Duitse woord, dat mij het meest walging inboezemde, en dat zij ook weleens gebruikte, braakte ik uit alsof mij dat van alles verlossen moest; toen herkende ik de plaats waar we liepen, – 'hier, wir sind am Persoisplatz, gute Reise, auf Nimmer Wiedersehen, da, du musst die Andromedastrasse nehmen, ich gehe rechts, also: *gute Reise...*' Ik lette niet op haar gezicht, toen ik vluchtig haar hand drukte. Ik dwong mij naar rechts te lopen en merkte dat ze staan bleef. Ik liep vlugger, hoorde haar voetstappen achter mij, toen een geluid als een snik, het zacht, maar scherp afgebeten 'nein', dat iemand zichzelf toevoegt op het beslissend moment van een zware zielenstrijd, en daar marcheerde Else Böhler alweer naast me voort, kalm molenwiekend, blozend, en zonder enige verwarring te laten blijken, precies als op de zondagochtenden dat ze naar de kerk ging met haar witte handschoentjes vooruit. Alleen haar stem verried enige ontroering. 'Jetzt kann ich sehen wie du mich liebst. Du bist ganz damit einverstanden!' – 'Möchtest du dann, dass ich auf meine Kniee fiel wie Fräulein Erkelens?!' – Zwijgen. Warmte. Slenteren. Hetzelfde spelletje opnieuw. Maar met een klein verschil: Else was mij achternagelopen...! Ik besloot dadelijk na het afscheid Peter te gaan opzoeken en op een of andere wijze verslag af te leggen van deze zegepraal. Nooit had ik gedacht, dat Else Böhler, die de avond tevoren nog kans had gezien mij naar een vuurwerk mee te slepen, zich zo vernederen zou, maar ik was er haar dankbaar voor, omdat het mij kracht gaf, en met een vermoeid glimlachje, zonder

26

haar verder te kwetsen, luisterde ik naar haar uiteen-
zettingen, die nu eindelijk kwamen en die haar een
geweldige zelfoverwinning schenen te kosten. Het
bleek nu wel dat ze zich de hele morgen ingehouden
had om mij uit mijn tent te lokken. Het ging over
'heiraten', 'in der Kirche heiraten', 'die Kinder katholisch erziehen', zakelijk, zonder enige ondertoon
van gefleem, en alsof wij de laatste weken over niets
anders gesproken hadden. Wanneer wij niet in de
kerk trouwden, zou haar moeder haar de deur wijzen, onterven en vervloeken, in het tegenovergestel-
de geval ontving ze mij graag als aanstaande schoon-
zoon... Ik vond die moeder, wier portret ik zo goed
kende, sympathiek, maar voorbarig. Op mijn opmer-
king, dat ik mijn eigen kinderen toch niet katholiek
opvoeden kon, beweerde ze in volle ernst dat zij daar
wel voor zou zorgen, dat deed de moeder toch gewoonlijk... Wat er verder nog besproken werd maakte geen indruk meer op me: déze enormiteit althans
moest kersvers aan Peter overgebracht worden! Ik
schudde nee en nog eens nee, ik keek op mijn hor-
loge, ik zei, dat ik een afspraak had om halfelf en dat
zij nu haar koffer moest gaan halen, en nam weer op
dezelfde manier afscheid, met een handdruk en zonder haar ogen te ontmoeten. Eén ogenblik vreesde ik
haar voor de tweede maal achter mij te zullen horen,
haar al haar eisen te horen herroepen, en ik wist hoe

zwak ik dan zijn zou, maar nee, ik voelde het, ze bleef achter, misschien niet eens zo erg teleurgesteld of wanhopig: Else Böhler, Duits dienstmeisje, brutaal, verlegen, ingetogen, volhardend, en toch zo merkwaardig weinig terugstotend in haar mannenjacht... Met behulp van Peter sloeg ik haastig de Orionstraat in.

Niets was Peter aangenamer dan wanneer zijn hulp ingeroepen werd, maar vandaag had ik hem alleen nodig als toehoorder. Lang door mij verwaarloosd, had hij recht op mijn volledig vertrouwen. Terwijl ik hem met de nodige omzichtigheid duidelijk trachtte te maken op welk een overwinning ik bogen kon, bleef hij rustig doorschilderen aan een parkgezicht met violette bomen als rechtopgezette, lijkkleurige grafzerken.

'Je kunt je niet voorstellen wat een rotzooi er voor mij vandaag afloopt,' begon ik, 'mijn hemel, wat een monotonie, een verveling, grauw, wanhopig...'

'Een of ander tentamen gedaan?'

'Beware... Nee, 't is met een vrouw uit.'

Dat klonk te pathetisch. Peters strenge rug verwikte niet. Maakte ik mij soms aan de misselijke grootspraak schuldig van jonge studenten, die over een 'vrouw' spreken, en niet over een 'meisje', alleen om hun eigen volwassenheid te bewijzen? Nu ik ze in woorden vertaalde die op het moment zelf weer ingetrokken moesten worden, om welke reden dan ook, leek de hele geschiedenis met Else Böhler mij onwezenlijk veraf...

'Vrouw? Meisje, – gewoon meisje. Drie maanden heeft 't geduurd, al de tijd dat jij in Parijs zat; 't heeft me op een zonderlinge manier in beslag genomen, maar 't is nu afgelopen, plotseling... God, wat een opluchting.'

'Drie maanden is lang, als je je op díé manier kwellen wilt,' zei Peter verstrooid, en nauwgezet strijkend; was hij tóch op zijn teentjes getrapt, omdat ik zo lang niets van me had laten horen? – 'Een soort solidariteit van gevoelens misschien? Ik kan me voorstellen dat iemand die voor een examen werkt zichzelf ook nog de dampen wil aandoen op het stuk der liefde, om niet aan innerlijke tegenstrijdigheden te lijden, – uit een surplus van zelfkwelling, koppigheid...'

'Nauwelijks... Daar zou ik tenminste pas in de laatste plaats aan gedacht hebben. De tegenstrijdigheden zaten meer in de liefde zelf...'

Peter zweeg.

'Ik herinner me ons gesprek van de winter, toen 't zo laat is geworden, toen met die sneeuw... Ik moet je gelijk geven, Peter. Het is onmogelijk jezelf aan een vrouw te geven. Afgezien nog van uiterlijke hinderpalen, die ook in mijn geval ruimschoots aanwezig waren, vindt iedere liefde zijn rem in een soort... ja hoe zal ik 't noemen – in gewone haat, dat is de eenvoudigste formulering.'

'Maar niet de enig juiste...'

'Iedere liefde wekt automatisch haat op voor 't zelfde object, krachtens een wet van evenwicht misschien, en verijdelt de zelfovergave... Dat moet jij bedoeld hebben toen je mij indertijd je houding tegenover vrouwen beschreef, die me toen zo bar voorzichtig voorkwam...'

'Merkwaardig, dat je dáárop terugkomst,' zei de schilder, die zich glimlachend en nieuwsgierig naar me omgekeerd had en nu op de rand van zijn fauteuil ging zitten, 'in Parijs heb ik genoeg van het zogenaamde werkelijke leven gezien om weer eens innig naar theoretische discussies te verlangen, hoe abstracter hoe beter; mijn pols is de laatste tijd wat stijf, wat erg tuk op rechthoeken en kubussen, waarschijnlijk omdat ik er te onsystematisch op los gezwamd heb, de verhoudingen moeten maar weer eens omgedraaid worden... Overigens heb je er niets van begrepen wat ik toen beweerde! Het gaat voor mij niet om liefde en haat, maar om liefde en zelfbeheersing, om het evenwicht daartussen. Liefde en haat geven tezamen een eindeloos, zinneloos geschommel en aangezien een weegschaal geen seismograaf is, en een mens geen *mimosa pudica* oftewel...'

Ik viel hem in de rede. Ik was hier gekomen om over Else Böhler te spreken. Dit ging me te ver, zelfs als inleiding!

'Ik zie niet in waarom jouw opvatting de mijne uitsluit. Laat zelfbeheersing een reactie zijn op haat, of een veredeling ervan. Voor mij is de hoofdzaak, dat ik met elementaire kracht en van 't begin af aan een vrouw gehaat heb en liefgehad, niet ná elkaar zoals je dat gewoonlijk ziet, niet als desillusie, maar tegelijkertijd; ik kan zelfs precies zeggen waaróm dat alles zo was, waarom ik haar mond liefhad, haar ogen haatte, en zo tot in de kleinste bijzonderheden...'

'En je denkt, dat dat je van die vrouw verwijdert?'

'Dat blijkt nu wel, zou ik zeggen!'

'Ik weet niet wat er gebleken is, ik weet niets van dat meisje af, maar wel heeft de ervaring mij geleerd dat niets zozeer bindt als haat wanneer die niet meer van liefde te scheiden is! In zo'n geval worden de liefdespijlen niet naar binnen geschóten, maar naar binnen gewrikt, heen en weer, zodat er geen terugtrekken meer mogelijk is. De haat blijft een voortdurende prikkel om je liefde te overdrijven... Je reageert niet af... Nu, Glück auf met zoiets!'

'Waarom zeg je: Glück auf?'

Peter trok zijn wenkbrauwen op.

''t Is toevallig een Duitse...'

In Peters ogen begonnen lichtjes te tintelen.

'Een Duits dienstmeisje. En katholiek ook.'

'Maar 't is uit, zei je. Gelukkig dan. Ik heb meer vrienden gehad met Duitse dienstmeisjes. 't Loopt niet altijd goed af. 't Zijn jeugdcomplexen – voor dienstmeisjes, of voor Duitsland; of voor alle twee...'

'Heil Freud!' riep ik, een beetje geprikkeld.

'O, vind je niet dat we Freud weer wat meer aandacht schuldig zijn, nu hij verbrand is? En als je dan al zo ver heen bent, dat je op Duitse...'

'En ik ben ook jaloers,' ging ik koppig voort, in een onredelijke behoefte mezelf bloot te geven, 'op iemand die ik niet eens ken, ik weet alleen dat hij Steinmann heet.'

'Men is altijd jaloers op wat men niet kent, en omdát men iets niet geheel kent, wat dan wel in de eerste plaats geldt voor de geliefde. Jaloezie, net als zuinigheid, berust op gebrek aan voorstellingsvermogen. De rijke kanonnengieter is gierig omdat hij zijn bezit niet meer overzien kan, en jij bent...'

'Je vergelijkingen zijn martiaal, Peter, eerst pijlen, nu kanonnen! Laten we veronderstellen dat mijn nederige vertegenwoordigster ener militaristische natie je daartoe inspireert. Overigens is die geschiedenis zo terre à terre en oninteressant, dat ik je er niet mee vervelen wil...'

'Integendeel!' – Hij stond op om weer te gaan

strijken. – 'Een andere keer moet je 't natuurlijk vertellen... Maar om nog even op dat samengaan van haat en liefde bij jou terug te komen: ik geloof, dat er in die gevallen altijd sprake is van een onvoldoende keus tussen de ouders, waardoor je je hele leven op twee gedachten hinkt en tweeslachtig blijft, ook in je erotische voorkeur...'

'Dat gaat me te hoog,' zei ik bijna grof, pijnlijk geraakt door die toespeling op mijn huiselijke omstandigheden, 'dat is Freud op z'n smalst; je ziet over 't hoofd dat de tweeslachtigheid al in het meisje zelf zat...'

'Allicht! Maar waarom moest je juist háár kiezen, en niet een van de vele anderen zonder zo'n gecompliceerde aanleg?'

'Puzzel dat dan zelf maar eens uit! Ik zal je niet langer ophouden...' Ik wilde naar de deur lopen, toen Peter, onverstoorbaar, maar toch wat roder in zijn gezicht dan gewoonlijk, mij met een kort gebaar tegenhield.

'Je vertoont de typische geprikkeldheid van bejaarde professoren in de psychiatrie, waarvan je de complexen op tien pas afstand ruiken kan, en die Freud menen door te hebben. Overigens is Freud geen panacee. Ga eens wat lezen over de toestanden in Rusland, waar ze bij honderdduizenden verrekken van de honger; of over de Pacific-politiek van Japan.

Je horizon is sterk ingekrompen. Examenstudie, plus een Duits dienstmeisje...'

Ik had lust om te vloeken. Zo effen mogelijk zei ik: 'Als iedereen het probleem van de verhouding met een Duits dienstmeisje opvatte zoals ik dat gedaan heb, zou er misschien geen honger meer geleden worden op de wereld, zelfs niet aan de Wolga. Je wilt mij, als ik het goed begrijp, uit mijn individualistisch kringetje in het barnendste collectivisme stoten; 't mankeert er nog maar aan dat je me een uitstapje aanraadt naar Parijs. Daar heb ik trouwens geen geld voor. Ik ben arm, jaloers, overwerkt, en erotisch sterk ondervoed. Maar jij bent me wat te olympisch, Peter! En op je voorstellen betreffende ontwikkelende lectuur heb ik maar één antwoord, de variant op een bekend gezegde: *le collectivisme commence de soi-même...*'

'*Par* soi-même!'

'Verrek!'

'Hier in Holland zijn de mensen juist veel te goed voor hun Duitse dienstmeisjes, man! Dertigduizend zijn d'r nu al, een hele invasie! Als het allemaal maagden waren, zou er een fascistische Minotaurus moeten opstaan om ze te verzwelgen...'

'Goeiemorgen!'

'Sterkte!'

Met een harde knal trok ik de deur achter mij dicht.

Geïrriteerd, minder door Peters ellendig getheoretiseer, zijn superieure spot, dan door zijn toespeling op die dertigduizend maagden, liep ik weer naar huis. Nog hield de warmte de ergernis in me gesmolten. Daarachter evenwel dreigde de stolling tot een scherp verdriet, waarin zich alles zou samentrekken, tot een bodemloze leegte eromheen achterbleef. Ik liep traag en met tegenzin. Daar ik Else had aangeraden een auto te nemen voor haar koffer en niet de kans wilde lopen haar naar het station te zien wegrijden, koos ik de Orionstraat om de Waalweg te bereiken in plaats van de Andromedastraat.

Thuis leek alles uitgestorven. Zelfs mijn moeder, die anders altijd overal tegelijk was, flitste niet tussen achterkamer en keuken heen en weer. Alle deuren dicht. Ik wist niet hoe ik haar onder de ogen moest komen, na deze overwinning die zij op Else Böhler behaald had en die pas definitief werd nu ik terugkeerde onder háár hoede... Op de tweede verdieping was de kookhitte te drukkend, dat ik het bijna als een uitkomst begroette toen ik voetstappen boven m'n hoofd hoorde. Er was dan toch nog iets bóven me, boven dit warme helletje onder lood, teer en kiezel... Mijn woede steeg maar langzaam, toen ik begreep dat het Eg moest zijn. Gewoonlijk klom hij op het dak om er zich door mij weer af te laten jagen, maar hij kon niet weten dat ik al thuis was.

35

Het eerste wat ik, door de openslaande deuren naar buiten schuivend, gewaarwerd, was een zonderlinge schrikachtige beweging in onze wingerd, alsof een klein dier zich daar heftig schudde of fladderde achter de bladeren. Even daarna klonk het scherpe gekets van een steen tegen de rode muur; de worp had ik niet gezien. Daar er nogal wat kinderen in de Andromedastraat speelde, liep ik, niet vermoedend van de werkelijke toedracht, verder naar voren, en keek, juist op het moment dat een derde steen klikkend ons houten vogelhuisje raakte met de snoer apenoten voor meesjes eraan, mevrouw Steketee in de ogen, die dadelijk haar gezicht afwendde in de richting van het platje van Erkelens. Ze lag in een lange tuinstoel met Johan Fabricius op haar schoot, bijna tussen de Oost-Indische kers; haar gezichtsuitdrukking was verbaasd en licht honend, haar hand hield ze half omhoog als om een slag af te weren. Van verschillende zijden klonken nu stemmen: van geheel rechts een onderdrukt gegrom met een enkele schrale jammerkreet ertussendoor, bovenachter mij het gejoel van Eg: 'Goed gemikt, verdomd, al onze bloemen naar de hel, off side! Hé, daar heb je de eeuwige kandidaat ook!' terwijl onder mij een opgewonden gesprek tussen mijn moeder en ons dienstmeisje hervat werd, waaruit ik de woorden 'naar de politie gaan' opving. Vrij dicht langs ons huis vloog een kan-

telend bruin voorwerp, dat in het tuintje links van
het onze terechtkwam. Eg juichte: 'Een haarborstel!
Een haarborstel van die meid! G.v.d. wat een lol!'
Voor ik mij rekenschap gaf van wat ik deed had ik
een grote steen opgeraapt en smeet die met kracht
naar zijn gezicht, dat woest grijnzend als een gar-
gouille boven de zinken dakrand uit kwam. Meteen
was hij onzichtbaar. Ik vloog naar voren en overzag
nu het gehele schouwspel. In de tuin van Erkelens
liep Else Böhler in haar zwarte regenmantel af en
aan, kalm van profiel, haar mond een beetje streng
en bigot proevend geplooid, – telkens vastberaden
bukkend naar de voorwerpen, die nu niet meer in
ons tuintje, maar rechtstandig naar beneden gesme-
ten werden vanaf het bastion van het hoekhuis: een
paar schoenen, een tandenborstel, een stapel hemden, alles fladderend of springend uit de handen van
de aapmens, die met volle grepen het meidenkamer-
tje leeghaalde, als Sinterklaas over de daken naar het
hekje schreed en dan de boel eenvoudig liet vallen,
terwijl achter haar met een benauwd verwrongen gezicht telkens de dwerg te voorschijn kwam om haar
zuster tegen te houden. In de Andromedastraat stonden zeker tien mensen, schooljongens merendeels.
Juist toen mevrouw Steketee op ongenaakbare wijze
naar haar huis terugliep, geelbleek van zelfbeheersing en zonder naar boven te kijken, spatte op het

stenen pad, waar Else bedrijvig heen en weer stapte om haar bezittingen bij elkaar te zoeken en in een grote koffer te stoppen, die open bijna geheel gevuld op het gras lag, een odeurflesje in diggelen. Dit scheen tevens het einde te zijn. Juffrouw Erkelens leunde uitgeput over het hekje: een halfblinde, zakkige kolos, doodsbleek, alle energie eruit gegooid; de dwerg sloop voorzichtig naar haar toe en legde haar hand op haar schouder; in de Andromedastraat ging een zwak gejuich op.

Was een paar minuten lang het gehele voorval niet veel meer voor me geweest dan een dol droomgedoe van half bekende potsenmakers onder een gloeiende zomerhemel, mogelijk doordat dat flesje me aan de lavendelgeur herinnerde waarnaar Elses adem rook, kwam ik weer tot mezelf. Dol van strijdlust, steeds met het baldadig gejuich uit de Andromedastraat in mijn oren, stormde ik mijn kamertje door, nam de trap met drie treden tegelijk, en stond op de eerste verdieping plotseling tegenover mijn moeder. Ik herinner me, dat ze een laag uitgesneden blouse droeg, wat gerafeld daar waar de bruinachtige dubbele ronding van haar borst begon. Zweetdruppels op haar voorhoofd waren tot een vleksgewijs papje aangemaakt met het poeder. Boven me klonk het gestommel van Eg, die van het dak afkwam.

'Je gaat daar toch niet heen, hè?'

'Gaat u niet aan. Ik ben dadelijk terug...'

'Je krijgt 't niet in je hoofd, verstaan? Ik heb daar al genoeg ellende mee gehad, hoe vaak heb ik je al gevraagd die snol met rust te laten, – en mevrouw Steketee die nu natuurlijk alles weet! Je moest je schamen! Je sleurt onze goede naam door de modder! Eg, jij gaat naar beneden! God, o god, wat een afschuwelijk leven...'

'Laat u me door, of niet?'

'Dan moet je 't huis maar uit, Johan, gerust, we kunnen je niet houden, dan moet je maar vort, dan moet je maar...'

Haar stem haperde; haar gehijg hoorde ik van dichtbij. Ik wilde langs haar heen glijden, – het was me er werkelijk om te doen haar zoveel mogelijk te ontzien, hoewel het door haar gebezigde woord 'houden', alsof ze van een huisdier sprak, tergend in mijn hoofd nagonsde, – toen zij eensklaps een klokkend geluid voortbracht, en met haar hand onmiskenbaar op haar hartstreek gedrukt half over me heen zeeg, terwijl de andere de leuning te stevig vast had dan dat ze echt vallen kon. Scheef ineengezakt bleef ze zo in het trapgat liggen. Eg schoot toe, eer nieuwsgierig dan behulpzaam; in de slaapkamerdeur draaide het dienstmeisje heen en weer, vuurrood, met kleine begerig glinsterende oogjes. Mijn moeder steunde alsof hevige pijnen haar doorsneden.

Een starre spleet leek haar mond, een gapend papier-maché. Het was wat te mooi allemaal.

'Haal jij de dokter even,' zei ik, en maakte aanstalten om over haar benen te springen. Bijna dubbelgevouwen stond Eg over het lichaam gebogen, beleefd en officieel, alsof hij een meisje ten dans vroeg.

'Ik heb geen tijd; Emmy moet maar naar de dokter. Maar ik geloof er geen bal van, zeg, 't is aanstellerij, net als vader, zeg!'

Bliksemsnel streek mijn moeders hand mij door het haar, toen ik mijn sprong nam. Eg slaakte een soort krijgsgehuil. Reeds in de vestibule hoorde ik haar driftige hakkentikjes op de trap, maar het was te laat. Hoewel mijn ridderlijke opwelling bijna geheel vervluchtigd was, liep ik toch nog naar de hoek, om poolshoogte te nemen en als het kon Else bij te springen. In de Andromedastraat stonden de jongens nog op dezelfde plaats, op enig afstand rondom een huurauto, waarvan het deurtje juist door een breedgeschouderde chauffeur dichtgesmakt werd; de man tikte in het wilde weg een beetje minachtend aan zijn pet, de jongens stoven achteruit, en daar reed Else Böhler heen, in een snorrend vaartje, een zakelijke benzinelucht verspreidend, en zo, dat ik bijna niets anders van haar te zien kreeg dan het blonde haar, waarnaast de rechtopgezette koffer op en neer schokte. In de opening van de tuindeur stond een klein, mismaakt vrouwtje, rood behuild, in mijn richting te kijken, zonder mij te herkennen. Ze bracht haar hand naar haar ogen, en verdween. Ook voor mij zat er niets anders op dan terug te gaan. Om althans nog iets van mijn houding te redden, belde ik aan bij onze buren aan de Orion-kant en vroeg aan het niets begrijpende oude dametje, of ik de borstel hebben mocht die per abuis in haar tuin was gevallen vanuit het raam van mijn broers kamertje. Even later, versuft op mijn divan gezeten, vlak onder de smoorhitte, trok ik uit het stoffige ding wat lange blonde haren, en wond ze om mijn vinger totdat ze afknapten.

Nog voor het koffiedrinken bood ik mijn moeder mijn excuses aan, die zij koel en vormelijk aanvaardde, maar met een onderdrukte haat, zoals ik nooit eerder bij haar opgemerkt had. Zoals ze daar een ondoorgrondelijke, strenge en wat vies-preutse houding trachtte aan te nemen, als tegenover een vreemde, met wie men onder één dak leven moet, noodgedwongen! Ik vergenoegde mij ermee te verzekeren dat het 'Duitse dienstmeisje' nu voorgoed weg was en dat het het beste zou zijn die stenen tegen de muur en het vogelhuisje maar over onze kant te laten gaan. Nauwelijks keurde ze me een antwoord waardig. Ik wist niet of ik er haar op voorbereiden moest dat juffrouw Erkelens, die nu immers van alles op de hoogte was, wel weer eens aan de deur zou kunnen komen klagen. Erg waarschijnlijk leek me dat overigens niet, na die smijtpartij. Toch kreeg ik pas na vieren het gevoel dat de geschiedenis Else Böhler met alles wat eraan vastzat voorgoed tot het verleden behoorde.

Om kwart voor zes vond ik bij het avondblad, dat ik altijd zelf uit de bus haalde, een tweede envelop met mijn adres erop. Het ingesloten briefje luidde:

Mein lieber Johann!

Ich bin noch nicht fort. Gehe erst morgenfruh, möchte dich noch einmal sehen. Ich schlafe im katholischen Mädchenheim. Das war ein schöner Auftritt im Garten, sie haben mir auch mein Geld nicht gegeben, weil ich niet gekündigt hatte. Macht nichts. Ich denke nur an dich. Habe keine Angst, dass meine Liebe zu einem andern gehen könnte. Und würde ich Dich auch nie hieraten können, die Liebe zu Dir führt in ein ferneres Jenseits. Also... Du, Du, nur Du allein sollst stehst der Traum....!? Habe heute Nacht einen seltsam schönen Traum gehabt. Einen Traum, wenn das einmal Wirklichkeit würde... Ich werde ihn mündlich erzählen. Ach, warum darf ich nicht ganz glücklich sein? Ich brauche mir nichts einzubilden, ich weiss genau, wenn ich dich nicht kennengelernt hatte, so wäre ich Heute schon verheiratet. Reich, aber ohne Liebe. Jedenfalls ist es besser ich gehe fort. Du bist kolos-

sal heissblütig veranlagt, und ich nicht weniger, und zwei
heisse Menschen zusammen das geht nicht gut aus. Zu-
dem möchte ich doch eins vollbringen, und das wäre, dass
ich ein ganzes Jahr fort bin, um mein gewisses Matrial
in der Kehle ausbilden zu lassen. Und solltest Du mich
dann irgendwo hören, so denke, alles was sie singt ist für
mich. Und wenn ich dann wieder kommen werde, nach
2-3 Jahren, dan werden wir uns vielleicht in die Arme
schliessen, und für immer, alles zu vergessen. Es wäre
auch nicht schön, was man begehrt, direkt zu besitzen.
Komme acht Uhr beim Fernsprecher, ich warte auf dich.
Ich schliesse und küsse dich im Geiste und möchte immer
bei Dir bleiben.
   Deine Else!'

Behalve de spelfouten bevatte deze brief nog enkele
verschrijvingen, die niet waren doorgeschrapt, maar
tussen haakjes gezet, alsof zij altijd nog iets te goed
waren om geheel aan het oog te worden onttrokken.

Tot kwart voor acht doorstond ik een doffe, laf-
hartige tweestrijd, waarin de borstel met de blonde haren, die ik Else toch terug moest geven, de rol
speelde van een onontkoombaar voorwendsel. Tegenover de motieven, die dit voorwendsel nog on-
dersteunden, stond alleen mijn angst voor de zomer-
avond, voor de wanhopig zinnelijke bekoringen, die
deze brengen zou en waarop ze zelf in haar brief had

gezinspeeld, het vooruitzicht van mijn weerloosheid. Tenslotte was het rijke huwelijk, waarover zij schreef en dat ik weer met 'Steinmann' in verband bracht, beslissend, maar evengoed, *zó* groot was de overmacht, had een andere overweging beslissend kunnen zijn. Eén ogenblik dacht ik erover mij te gaan bedrinken om de avond door te komen. Maar ik had geen geld om mij te gaan bedrinken.

Op weg naar de telefoon stelde ik me haar voor zoals bij die smeekbrief behoorde: meegaand en gedwee, het uiterste beproevend om mij te vermurwen, een meisje dat niet van mij los kon. Maar in werkelijkheid kwam het heel anders uit. Onmiddellijk overstelpte ze mij met een uitdagende vrolijkheid, die alleen geforceerd leek door de hardnekkigheid waarmee ze het twee uur lang volhield. Niet zij was de smekeling, maar ik. Een dasspeldje, dat ze voor me gekocht had, gleed in mijn jaszak. Als tegengeschenk reikte ik de haarborstel over, die ik in een krant had gepakt... Gekwetter en gesnater: over juffrouw Erkelens en haar aanvankelijke weigering de koffer af te geven, toen ze de drie stenen had zien liggen, bewijs van mijn medeplichtigheid, over de chauffeur die zich ' ganz anständig benommen' had, over de vermakelijkheid van al die hemden door de lucht, over de 'Schwester Oberin' in het Mädchenheim, die haar tien nieuwe diensten tege-

lijk had aangeboden (maar nee, ze ging beslist naar
Duitsland terug!), over de film die ze 's middags was
gaan zien, een 'ganz famoser' film met Anna Sten in
een nachtcafé, een 'Künstlerleben', geweldige ver-
leidingen, schitterende zang... Meteen zwenkte ze
af naar haar eigen toekomst: in één jaar zou ze beroemd zijn, ik hoorde haar dan wel door de radio,
Frans en Engels moest ze ook leren om filmster te
worden, dat ging in één moeite door, allemaal in dat-
zelfde jaar... Hoewel hier een ongebreideld zelfver-
trouwen uit sprak, hoefde ik maar mijn twijfel aan
zo'n verbluffende loopbaan te kennen te geven, of ze
keek me onder hoog opgetrokken wenkbrauwen bol
en grappig aan, alsof ze 't niet meende, en bond dadelijk in. Wel kwamen er dan nog mededelingen over
ein 'Balkleid', dat zij zou laten maken, en uitlatingen
als 'Ich komme durch!' en 'Man ist der Schmied sei-
nes eigenen Glückes!' – maar zij scheen evenzeer be-
reid om zich door mijn waarschuwingen te laten ont-
moedigen en zonder veel spijt terug te springen in
een nederiger werkkring. De belachelijkheid van dit
alles maakte het mij gemakkelijker mijn houding te
bepalen. Toen ik, voldoende gedekt door mijn gewone superieure spot, naar de droom vroeg waarover
ze geschreven had, wilde ze mij eerst nieuwsgierig
laten, op de manier die ik zo goed van haar kende,
de manier die zij zelf 'aufziehen' noemde (op stang

45

jagen), maar twee minuten bouderen hielp feilloos en na een verlegen aarzeling deed ze mij dat verhaal onder linkse, energieke gebaren tegen de sterren en de boomkruinen, die allemaal van háár schenen te zijn, half op het schoolse, kinderlijk afgebeten toontje van vroeger, half als een soort schaterend loflied op God. De droom hamerde ze me in alsof ik hem zelf gedroomd had. Weinig dingen in mijn leven zie ik in zo volkomen plastische scherpte voor mij als deze droom van Else Böhler. 'Wir waren auf einer grossen Reise, du und ich, und dein Freund und meine Freundin, wir waren in Italien, wir vier, und sahen die schönsten Blumen und Bäume, prachtvoll! Der Himmel war wunderbar blau! Auf einmal sahen wir die Mutter Gottes zu uns hinabschweben, ganz in Weiss gekleidet, schön, o so schön... Ich schrie!!! Ich rief: auf den Knieen!!!Beten!!! Beten!!! Wir beteten alle vier, du auch. Die Mutter Gottes kam zu uns hin und lächelte zu dir, sie berührte deine Stirn...' Else Böhler zweeg, en stak haar neus in de wind. – 'Ein schöner Traum,' zei ik verstrooid, en wachtte op wat er na deze poëtische aanloop nog komen zou. Zij had zich van me losgemaakt en zwaaide met haar lange armen. Terwijl we een paar bankjes passeerden, kwetterde ze alweer verder, zonder op mij te letten, al sneller en opgewondener. 'Ach, wie schön und weit ist die Welt! Wenn man jung ist, kann man alles. Wenn ich berühmt bin, spiele ich vielleicht zusammen mit Hans Albers, der wird mich küssen, ich werde mir das schönste dabei vorstellen,' – even hield ze in, toen ze een onwillige ruk van mijn schouder bespeurde; haar dwaze, dol glinsterende ogen draaiden in mijn richting, en ineens begon ze honend parodistisch op de paartjes op de banken te wijzen, die haar doodstil nastaarden, als verraste dieren in hokken, die men in een dierentuin voorbijtrekt: 'Ach, wie is die Liebe doch schön! Ach, wie wunderbar, jederman seine eigene Bank! ...Das Leben birgt noch zo viel für mich!... Man soll immer lustig sein!... Immer feste!... *Schützkafféee!!!...*'

Het kan ook een ander woord geweest zijn, nog steeds ben ik er niet zeker van. Een ordinair, hees en tegelijk gonzend krijsen was het dat haar toespraak had besloten, eindigend in een lange, toonloos wegstervende uithaal, – uiterste tegenstelling tot haar gewone stemgeluid, dat beschaafd genoemd kon worden. Hoewel dat gekrijs even onverwacht voor me was als onbegrijpelijk in zijn betekenis, wist ik toch meteen waaraan het me deed denken. Op het woord zelf kwam het niet aan. Klank en opeenvolging der timbres daarentegen riepen onfeilbaar het beeld wakker van een jonge, blonde, halfdronken prostituee, die ik in een van mijn eerste studentenjaren in een cabaret tussen kaalhoofdige, bebrilde nachtbra-

kers had zien zitten, haar armen om twee rimpeli-
ge nekken heengeslagen, wippend op de maat van de
muziek, en telkens zonder enige aanleiding uitbar-
stend in een geil, circusachtig gejoel, waarbij men
zich kletsende zwepen voorstellen moest, de per-
verse geur van paardenstallen, en rijen bejaarde aan-
bidders met hoge hoeden voor een halfopen kleed-
kamerdeur. Dit ongebonden tafereel, verwarrend
toentertijd voor mijn jeugd, door mijn verbeelding
minder in naoorlogse dan in fin-de-siècle-zin om-
gevormd, dook nu plotseling in mij op om al mijn
twijfel aan Else Böhlers zedelijk verleden voelbaar en
zichtbaar te maken, veel sterker dan welke feiten of
bewijzen, sterker zelfs dan wanneer ik geweten zou
hebben wat het woord betekende en waar het van afkomstig was. Een vriendin die opium gebruikte, een
beschermer genaamd Steinmann? De paniek van dat
woord 'Schützkaffee', dat uitgebrulde visitekaartje
van een kermismeid van het minste alooi, overtrof
iedere werkelijke toedracht omdat het alleen op vage mogelijkheden betrekking scheen te hebben: op
datgene wat Else Böhler had kunnen worden bij een
andere samenloop dan die haar gemaakt had tot een
meisje dat meent te zondigen als ze sigaretten rookt.
De gedachte hieraan was ondraaglijk. Ze had – met
die stem, met dát levenslustige gebrul! – een solda-
tenhoer kunnen zijn, verkracht en besmet door een

regiment, en achteraf nog manmoedig en opgetogen brullen: 'Schützkaffee!' – en weer geranseld en op ondenkbare wijze onteerd, en toch nog: 'Schützkaffee'...

Ik vroeg haar wat ze daar riep. – 'Nichts!' – Ik herhaalde mijn vraag driemaal. – 'Nichts! Das sag ich nich...' – Mijn keel dichtgeschroefd door machteloze jaloerse woede, stelde ik andere vragen: naar de onduidelijke zangopleiding, weer naar Steinmann, die ik, indachtig aan haar bewering van de vorige avond dat hij geen 'junger Mann' was, ineens vereenzelvigde met de 'älteren Herr' die vroeger met haar had gedanst; ik vroeg haar waarheen ze ging, ik vroeg naar haar adres, ik kreeg niets anders te horen dan hetzelfde ' Nich... nich... nich...' – 'Ist der reiche Herr, der mit dir heiraten will, Steinmann? Ist er schon alt?' – 'Das *sag* ich nicht!' riep ze schaterend, met fluitachtige gilletjes erdoorheen, 'ich sag nicht *ja*, und ich sag nicht *nein*!' – Ik had nu de keus tussen drie dingen: haar in het gezicht slaan, weglopen, of woord stellen tegenover woord. Ik koos het laatste, maar binnensmonds. Uit een instinctief verlangen naar zelfbehoud koos ik volledig partij voor de scheldende stem, die mij al zo vaak geholpen en gehinderd had. Ik hoef de scheldwoorden hier niet te herhalen, – 'Duitse hoer' vormde wel het hoofdrefrein, – evenmin als ik in bijzonderheden hoef te beschrijven

hoe ik tegelijk met dat hatelijk en zelfkwellend ge-
prevel liefdesdaden nastreefde, die daartoe wel in de
grootst mogelijke tegenstelling stonden. Mijn haat
verbergen: dát had ik wel geleerd door mijn leven op
de Waalweg...

Tot kalmte gebracht lag Else Böhler achterover op mijn schoot, het Correggio-gezicht verto-
nend zonder dat veel aandachtige voorbereiding nodig was geweest. Terwijl ik bij mijzelf werktuigelijk
'Duitse hoer, Duitse hoer' of 'imbeciel' fluisterde, of
haar korte benen bespotte in de walgelijkste termen
(bijvoorbeeld door stompzinnig een Maleis scheld-
woord te herhalen, dat een van mijn vrienden weleens gebruikte en dat woordelijk 'achterwerk van
een kreeft' betekent), streelde en zoende ik haar gezicht, beter, inniger dan ik het ooit tevoren gedaan
had, dwaas die ik was! Want ik zag niet in, dat ik
mij onvoorwaardelijk aan haar uitleverde door deze krankzinnige gelijktijdigheid: dat ik nooit meer in
staat zou zijn aan haar te denken in haat of onverschilligheid zonder in mijn vingertoppen strelingen
te voelen, die, voortgezet tot in mijn ziel, iedere opwelling van haat op het moment zelf ongedaan zouden maken en doen verkeren in zijn tegendeel, zoals
ook toen reeds, toen ik onder mijn wrangste scheldwoorden door pas wist hoe lief en weerloos zij eigenlijk was. Mijn laffe huichelarij moest zichzelf straf-

fen, en hééft zichzelf gestraft, op de manier die ik had kunnen voorzien, indien niet tenslotte de wellust behalve de zucht tot schelden ook alle zelfbezinning had overstemd. Overigens duurde dit niet lang. Onverwacht kreunend, sloeg Else Böhler haar arm om mijn hals om mij naar zich toe te halen, waarop ik mij misrekende met een reeks vergaande handgrepen, die meer weg hadden van een wraakoefening dan van de bevrediging van een hartstocht die niet bestond. Al te zeer was ik me het nutteloze van dit alles bewust dan dat ik lang aangehouden zou hebben. Toen ze opsprong en naast me ging zitten met de constatering: 'Mein ganzes Kleid ist verknautscht', voelde ik mij bijna opgelucht, maar met bittere ironie hield ik haar voor, dat ze niet alles voor Steinmann hoefde te bewaren en mij toch ook wel wat had kunnen geven! – 'Das kommt nicht in Frage!' – Gekwetst stond ze op; ik volgde lusteloos, en langzaam liepen we het park uit, in de richting van de tramhalte. Mijn verleidingspogingen scheen ze alweer vergeten te zijn. Zelfs gaf ze nu uit eigen beweging haar adres in Keulen op; ik kon haar daar schrijven, de brieven zouden doorgestuurd worden, maar terugschrijven zou ze niet: 'Das würde mir zuviel Weh tun! – 'Weh tun?' zei ik langzaam, in deze eenzijdige schrijverij een nieuwe list vermoedend om mij murw te krijgen, 'das glaub ich nicht. Du wirst wohl bald einen andern finden.' – 'O das! Ich brauche auf der Strasse nur um zu schauen...' – 'Und die alten Herren kommen schon hergelaufen!' – Ernstig en bigot vouwde ze haar mond: 'Die älteren Leute haben viel Erfahrung, da kann man viel lernen. Ich habe immer viel Chance gehabt bei älteren Leuten...' – We liepen verder; de tijd verstreek langzaam en gestadig; over tien minuten zou ik haar kwijt zijn... Hoewel het woord 'Chance' (een woord dat ik verfoei, al moet ik toegeven dat het in haar mond nog iets had van een archaïsch-Frankische uitdrukking, en geheel anders klonk dan het 'sjans' van een Hollands winkelmeisje) de rol scheen te willen overnemen van het 'imbeciel' en 'achterwerk van een kreeft', tegen mijn herlevende jaloezie kon het toch niet op. Wat er ook van haar zangopleiding en de man Steinmann waar mocht zijn, ik verloor haar aan de hele wereld. Ik bleef alleen achter, met mijn examen in zicht, zonder steun van Peter zelfs, die ik gebruuskeerd had... Even probeerde ik het nog met haar ogen, de ogen zonder gevoel of begrip, de edelstenen zonder menselijkheid, – maar hoe werd mijn bezitsinstinct niet gestoken door zulke prachtige voorwerpen! – 'Meinst du, dass ich mich nicht unglücklich fühle?' vroeg ik met gesmoorde stem. – 'Du bist unglücklich, weil du keine Religion hast!' – Een nieuw dogma! Alles bleef zoals het was. Ze was niet te treffen, niet te beledigen, niet over te halen; en toch wist ik dat ze van me hield en dat het haar een grote zelfoverwinning kostte heen te gaan. Al mijn beheersing verliezend, koppig en dreinerig, beu van dit belachelijk overbodige afscheid, dat onmogelijk zo te aanvaarden was, heb ik haar toen gesmeekt, niet met Steinmann te trouwen; ik heb mij vernederd en op haar gevoel gewerkt; ik heb haar alles toegegeven was ze maar wou, – behalve katholieke kinderen; dan maar helemáál geen kinderen, wat immers ook beter strookte met haar loopbaan van beroemde zangeres! – alles, als ze maar niet wegging.

'In der katholischen Kirche heiraten, und deine Kinder nicht katholisch erziehen wollen, – *das ist auch paradox*,' zei Else Böhler, nu voor het eerst met iets gemelijks en brommerigs in haar stem, 'Kinder ist das schönste im Leben, ich habe mich immer nach Kinder gesehnt.'

Dit is een van de laatste dingen die ik mij herinner van een gesprek, dat snel beëindigd moest worden, omdat ieder ogenblik haar tram komen kon: deze ridicule constatering van een tegenstrijdigheid die geen tegenstrijdigheid wás, alsof het trouwen in de katholieke kerk, zodra ik erin had toegestemd, meteen méér voor mij werd dan een zinledige formaliteit en mij van verlangen moest doen branden naar alle consequenties! Ik voelde me opeens dodelijk vermoeid. Om nog te redden wat er te redden viel liet ik haar beloven voorzichtig te blijven en zich aan niemand te geven voordat ze getrouwd zou zijn. Ik herinner mij in welke bewoordingen ze die belofte aflegde: 'O, das kann ich versprechen, du hast es ja auch nicht gekonnt! Ich weiss, das du immer schlecht von mir gedacht hast, wegen der Freundin. Es hat mich amüsiert. Es gibt zwar viele Mädchen, die so leben, aber ich würde lieber ins Wasser gehen als das weisse Kleid am Altar Gottes nicht mit Recht tragen zu dürfen!' – Ik herinner mij hoe ze mijn hand drukte en mijn arm kinderlijk op en neer schudde, en haar kalm, onverstoorbaar profiel herinner ik mij met de bolle, glanzende ogen, toen de lichten van de tram om de hoek verschenen: transformatoren van lichtjes, nieuwsgierige spoelen waar al dat schijnsel zich omheen wond zonder de kern ervan te raken, en de toon waarop ze 'Lebewohl!' zei en waarin de ontroering klonk die erbij paste... maar als er iets is dat voor mij dat afscheid ontroerend maakt, dan is het dat zielige woord 'paradox' dat meer dan iets anders de kloof openbaarde die er gaapte tussen haar en mij, een kloof minder wat dat geloof betrof dan in denken en voelen. Een heel mensenleven zou niet lang genoeg zijn om die kloof te overbruggen! Wat *is* 'paradox', Else, en hoeveel jaren zal ik met je getrouwd moeten zijn, en met hoeveel kinderen en kleinkinderen, om je aan te tonen aan welke denkfouten je je schuldig maakte bij het gebruik van een woord dat je een ander napraatte? Maar zodra haar onbegrip ophoudt een logica te beledigen die er nu niet meer op aankomt, staat het op één lijn met al het andere dat door de afstand mooier wordt gemaakt: met het mythologische lachje over de daken van de Waalweg, of het waaiende stof, van bruine matjes afkomstig, waarop de middagzon scheen...

Een nieuwe tijd brak nu aan. Na mezelf tot een snelle en doelmatige verachting voor alles wat naar Duitse dienstmeisjes zweemde opgepompt te hebben rolde ik maar weer verder, zo goed als het ging, en begreep niet waarom ik Else Böhler ooit nodig had gehad om acht uur per dag voor een examen te kunnen werken. Al school er ook iets teleurstellends in dat zij niets meer van zich horen liet (eigenlijk had ik verwacht dat we voortaan iedere dag opnieuw afscheid zouden nemen!), ik kon nu tenminste een streep zetten onder deze hele geschiedenis. Wat was er ook al niet achter de rug, welke triviale vernederingen, welke onzekerheid, domheid en monotonie!

Spoedig evenwel werd ik mij in mijn toestand van doffe schijntevredenheid van verschillende nieuwe stoornissen bewust. Wetsartikelen weigerden in mijn hoofd te blijven, of speelden stuivertje verwisselen.

Onder het werk had ik voortdurende te kampen met de neiging naar buiten te gaan en naar de rode muur met de reeds bruin wordende wingerd te kijken en dan naar de lat, waarover Else Böhler haar kleedjes had geklopt, terwijl ik me 's avonds trachtte voor te stellen, hoe zwart en kantig de steen, die zij altijd voor me neerlei, af had gestoken tegen het lichte hekje. Bedroefd en weemoedig voelde ik mij daarbij niet; het waren eenvoudig oude gewoonten, die ik niet zo gemakkelijk afleggen kon, en die, zo meende ik, wel spoedig zouden slijten.

De venijnigste en meest ondergrondse aanvallen evenwel kwamen van de kant van Waalweg 27. Reeds na een paar weken scheen het me toe of overal gewichten aan me hingen: aan mij alleen, zonder de heilzame verdeling ervan, die het platje van Erkelens had bewerkstelligd als steunpunt van de hefboom. Al wat me vroeger gepijnigd had, het kwam in verdubbelde mate terug: de omgang met mijn ouders en hun coterie, mijn angst voor de toekomst, mijn geïrriteerdheid vooral om Eg, die, na een paar weken uit de stad te zijn geweest voor zijn grote vakantie, zich opnieuw Sint-Vitusachtig door het huis bewoog en op het dak klom (nog eens het ergste, want dan had ik tenminste het voorwendsel naar de lat te blijven kijken, nadat ik hem naar beneden had gebruld) en aan tafel raadselachtige kernspreuken ten beste gaf

over 'deutsche Mädel', en 'die rotzooi in Duitsland',
– met een veelzeggende blik naar mij, die dan dadelijk afgleed op mijn kleren, die volgens hem beter
waren dan de zijne. De hele dag was hij nu om ons
heen, weken achtereen. Hij verveelde zich. In mijn
dictaatcahiers vond ik poppetjes getekend met lang
haar en één arm in de hoogte: de Hitlergroet. Andere dictaatcahiers, een heel leerboek zelfs, raakten
zoek zonder dat ik hem op goede gronden betichten
kon. Hij leek mij nerveus, geladen met ressentiment.
Aan sport deed hij niet; wel sprak hij veel over kaar-
ten, weddenschappen, gokspelletjes, en om de drie
dagen werd dat dan in de praktijk gebracht op luid-
ruchtige avondjes, die mij nog meer van mijn werk
afhielden dan de mevrouwen, die tenminste niet
vloekten en met de vuist op tafel sloegen. Mijn ouders gingen dan gewoonlijk uit; Eggie kreeg koekjes
en sigaretten, en als ik mijn thee kwam halen, zat het
hele gezelschap rondom de tafel met stalen gezichten te bridgen. Een halfuur later was het alsof er onder mijn voeten een vulkaan borrelend en ploffend
overkookte. Eén keer waren drie jongens door het
glas van de suitedeuren gevallen, dat er schoon uit
lag zonder een van de gymnasten bezeerd te hebben.
Er was een blonde, effen jongen bij, die (toen ik eens
op de gang stond te luisteren) niets anders zei dan
'g.v.d., g.v.d.', – ontelbare malen achter elkaar, terwijl

de anderen muisstil bleven als om hem in de gelegenheid te stellen behoorlijk zijn gemoed te luchten. Een andere jongen, die boven een gestold babygezicht met raadselachtige donkere ogen een onwaarschijnlijk hoog voorhoofd droeg met twee knobbels, gelijkend op de rozenstok van een jong hert, piepte op aanmatigende toon 'zwalú m'neer Roodenhuis', zodra ik beneden kwam om de orde te stichten. En in dit milieu moest ik *studeren*! Studeren, zonder zelfs maar het gevóél dat er enige consideratie met mij werd gebruikt. Mijn moeder tenminste, al vertroetelde ze hem ook niet meer zo, na die scène op de trap, waarbij hij zich in haar ogen zo harteloos gedragen had, liet Eggie in alles zijn gang gaan, terwijl mijn vader, wanneer hij aan een standje toe moest zijn, met omhooggetrokken wenkbrauwen naar de plaats keek waar Eggie vijf seconden tevoren voorbij was gedanst...

Na een vage droom, waaruit ik op een ochtend snikkend wakker werd, wijzigde zich het beeld van mijn innerlijke beslommeringen opnieuw. Ik droomde dat ik met Else Böhler voorbij een bloeiende haag liep, waarbij ze zo klein en wit gekleed was als het meisje dat ik de Waalweg had zien oversteken, de eerste zondagochtend, even voordat zij voor het voorkamerraam was verschenen. Maar onmiddellijk daarop, alsof de symmetrie van een zinnebeeldige prent betracht moest worden, was diezelfde haag in herfsttooi, met bladeren als hopen ineenzakkend bruin vuur, of geheel ontbladerd, grauw, afgestorven. Het besef van een dodelijk verlies, opgewekt door deze simplistische regie van mijn onderbewustzijn, zette zich na het ontwaken voort in een knagend weemoedig verlangen, waarvoor ik al mijn kritische zin nodig had om het te blijven zien als wat het in de grond was: niets anders dan het terugverlangen naar een tijd van geluk en geestelijke gezondheid (al waren die dan ook maar schijnbaar) die zich in Else Böhler had belichaamd. Met smartelijk welbehagen liet ik mij verzinken in een bad van sentimentaliteit. Urenlang zat ik voor me uit te staren met haar portret in mijn handen. In mijn verbeelding beleefde ik alles opnieuw, maar, nu eenzijdig belicht, net alsof die tweevoudige droom mij niet meer toestond de schaduwzijde te zien, die hijzelf reeds op zo aangrijpende wijze had geresumeerd. Nu begreep ik pas hoe gelukkig ik geweest was die drie maanden lang, en hoe botweg ik Else Böhler onrecht had gedaan. Heftig verweet ik mezelf mijn wantrouwen en de minderwaardige middelen die ik gebruikt had om mij innerlijk van haar los te maken. Onze gehele omgang werd gepoëtiseerd tot een verfijnd epos der domheid, domheid in de zin van 'nicht von der Gedanken Blässe angekränkelt' (ik zocht in die dagen voornamelijk naar Duitse citaten; ook gehele gesprekken hiel ik bij mezelf in het Duits). Onmogelijk kon ik mij voorstellen nooit meer die kwetterende stem te zullen horen die mij parmantig op mijn nummer zette, dat voorzichtig kreunende zingen; nooit meer het mooie, bedroefde voorhoofd, de grappige wenkbrauwen, het molenwieken van haar armen. Als naïeve wijsheden ter overdenking zei ik al haar stopwoorden en opmerkingen bij mezelf op: 'Das ist wahr'... – 'Ein grünes *Hüt*chen mit einer roten *Feder*...' – 'Schönaugen hat er' (toen ik haar op een zondagochtend voor het raam de kat had laten zien). – 'Das sagt man nicht' (toen ik mij vermeten had mijn twijfel aan het bestaan van God uit te spreken!) – '*Nich*... tun...' deze versleten, in tweeën geknikte woordencombinatie, die ik op zonderlinge wijze met haar ogen in verband bracht: *Nich* als de harde, bolle bikkels, *tun* als de weke marge van haar oogleden, – en vooral de droom die ze me verteld had, met het kleurige visioen van de moedermaagd, en dan dat naïef opgedreunde lesje, pedant, gelijkmatig van intonatie, als antwoord op mijn vraag wat ze bij zichzelf gedacht had op die zaterdagmiddag toen ik buiten zat: 'Da sitzt ein Herr. In einem Ueberzieher. Der liest...' En mocht dit alles met elkaar ook weinig te betekenen hebben, het lachje, dat me op diezelfde zaterdagmiddag voor het eerst

60

verschenen was, bleef dan altijd nog over om dubbel en dwars revanche te nemen op de gelatenheid waarmee ik gemeend had van Else Böhler afstand te kunnen doen. Vooral de gedachte dat anderen nu dit lachje zouden kunnen aanschouwen en zelfs de definitieve vruchten plukken van onze zinnelijke omgang, maakte mij razend. De naam Steinmann, het volmaakt onbegrijpelijke woord 'Schützkaffee', het eerste in de toekomst wijzend, het tweede naar Elses verleden, een soort Januskop-in-woorden, die mij eerst nog geholpen had Else zo verachtelijk mogelijk voor te stellen, symboliseerden nu de talloze mogelijkheden van een onherstelbaar verlies. Wie was Steinmann? Welke vreselijke, oude, rijke mof was Steinmann? Bestónden er nog rijke moffen? Hoe zagen zij eruit? Ik zag Else getrouwd, vervolgd, verhandeld, verleid, verarmd, ongelukkig, rijk, ziek, beroemd. Een doodgewone kruideniersbediende, die opvallend voor het huis van Erkelens heen en weer drentelde en nieuwsgierig door de ramen gluurde, – terwijl ik zelf daar ter plaatse nauwelijks mijn ogen durfde op te slaan, uit schaamte omdat ik Elses toiletartikelen straffeloos naar beneden had laten smijten! – reet alle wonden weer open. Opnieuw verdacht ik haar, en schreef toen meteen een brief naar dat adres in Keulen. Toen ik na twee weken nog geen antwoord had, schreef ik een brief aan haar moeder,

wier sympathiek portret ik mij nog steeds herinnerde, waarin ik vroeg hoe zij het maakte. Nóg twee weken, en mijn verlangen naar Else, naar haar moeder,
naar Keulen, naar Duitsland, was zo sterk geworden
dat ik voor Rome zou hebben gecapituleerd met een
volledig huwelijksaanzoek zonder voorwaarden in
een derde brief, indien er niet een kort en beleefd
antwoord was gekomen, zonder opgave evenwel van
Elses nieuwe adres, waarop ik half en half gehoopt
had. Het ging haar goed, ze had mijn brief gekregen, ' mit deutschem Gruss, Frau Therese Böhler,'
– Dat was alles. Of eigenlijk niet alles. Op de envelop namelijk stond niet 'Roodenhuis', maar 'Roten-
huys', boven de brief zelfs 'Rotenhaus', en deze futi-
liteit hielp me waarachtig nog een beetje om erin te
berusten dat Else Böhler me voorgoed vergeten was.
Holland annexeert zichzelf, moet ik gedacht hebben,
– laat ik toch oppassen...

Verantwoording

De tekst *Duits dienstmeisje* is een fragment uit de roman *Else Böhler, Duits dienstmeisje* die Simon Vestdijk publiceerde in 1935 bij Uitgeverij Nijgh & Van Ditmar. De onderhavige tekst is afkomstig uit de nu nog leverbare editie van *Else Böhler*, verschenen als nummer 46 in de reeks 'De Twintigste Eeuw' van uitgeverij Atlas.